Pour Charles, Maxence et Marjolaine.

C.A.

© 2003 Bayard Éditions Jeunesse
ISBN : 978 2 7470 0996-6 – Dépôt légal : juin 2003
Ces comptines ont été publiées pour la première fois
dans le magazine *Les Belles Histoires*
Loi 49-956 du 16 juillet 1949 sur les publications destinées à la jeunesse
Imprimé en France par Pollina, n° L43891 – quatrième édition

COMPTINES de L'ALPHABET

Textes de Corinne Albaut
illustrés par Muriel Kerba

BAYARD JEUNESSE

LE CHAT ET LE RAT

Ah, ah, ah, qui est là ?
C'est monsieur A.
qui fait son cinéma.
Écoutez ça :

– Abracadabra !
Le lapin devient rat.
Abracadabra !
Le rat devient boa.

Abracadabra !
Le boa devient chat.
Abracadabra !
Le chat devient lama,
lama, lama,
et il reste comme ça !

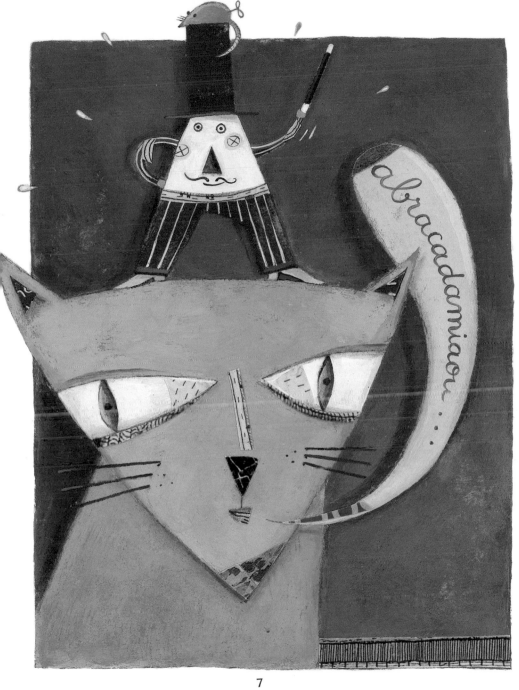

LA **B**IQUE,
LE **B**OUC
ET LES **B**IQUETS

Madame B.
berce ses bébés
en leur racontant
une comptine :

– La bique bougonnait
dans sa barbiche blanche,
le bouc et les biquets
ont brouté les bleuets.

Et la brave biquette
à la barbiche blanche
n'avait plus à brouter
qu'un brin
de buis séché.

LA CULBUTE DU CLOWN

Le clown caracole,
il fait des cabrioles,

coucou par-ci,
coucou par-là.

Perché sur l'escabeau,
il chante du bel canto.

Il fait un couac,
l'escabeau craque,

se casse et chute.
Le clown culbute.

LES CADEAUX DE DADODI

Dadodi, dans son dodo doux,

un drap dessus, un drap dessous,

rêve des cadeaux que, demain,

il découvrira dans son sapin :

un édredon en duvet d'oie,

un dragon d'or, un panda,

des dominos, des bandes dessinées

et deux dindes dodues, dorées,

à déguster pour le dîner.

QuE VEUT REné ?

Que veux-tu, René ?
Du beurre ?
Je, je...
Des fleurs ?
Je, je... te, te...
L'ascenseur ?
Je, je... te, te... de, de...
Le docteur ?
Je, je, je... te, te, te... de, de, de...
Je te demande l'heure !

LA FARANDOLE DES FÉES

Dans le froid de février,
au plus profond de la forêt,
dès que la neige a fondu,

des fées un peu folles
font des farandoles.
Quand elles sont fatiguées,
elles s'envolent en fumée.

LES GALIPETTES DE GRÉGOIRE

Grégoire,
le grand gaillard,
s'agite
comme une girouette.

Il fait des galipettes,
il gesticule
et il gambade,
de dégringolades
en glissades.

HOP ! un STEACK HACHÉ

Faut-il une hache
pour trancher
le steak haché ?

Ah, mais non,
pas que je sache,
on l'achète chez le boucher.

Hop ! dans l'huile,
hop ! c'est prêt.
On n'a plus
qu'à le mâcher !

L' Inconnu DE DJIBOUTI

Il est passé par ici,
oui, oui, oui.
Il venait de Djibouti,
si, si, si.
Il marchait droit
comme un « i »,
hi, hi, hi.
Il avait pour tout habit
mis, mis, mis
un p'tit gilet rikiki,
gris, gris, gris.
Et puis il est reparti.
Qui c'est ? Qui c'est ?
Qui c'est ? Qui ?

LES JUMELLES DU JAPON

Justine et Joëlle
sont deux sirènes jumelles.

Jamais elles ne porteront
de jupes ni de jupons.

En guise de jambes,
elles ont une jolie queue de poisson

pour nager
et jouer
dans la mer du Japon.

KIWI
CONTRE
KANGOUROU

Un petit kiwi
tout rikiki
en bikini
a mis K.-O.
au kung-fu
un kangourou
de cent kilos
en kimono.

Les FLEURS DE LOLITA

Lulu appelle Lolita :
- Hello ! Que fais-tu là ?
- Je cueille les lauriers,
les giroflées et les lilas
qui fleurissent dans l'allée,
tralalère et tralala.

MÉRIC SUR LE MANÈGE

Sur la moto, je me démène,

sur la montgolfière, je monte en l'air.

Sur le mouton, je me promène,

et sur le chameau, je t'emmène.

Viens avec moi, Méric,

sur le manège magique !

LA caNICHE DU caNICHE

En neuf jours et neuf nuits,
Tonton Nestor a construit

avec son neveu Antonin
une niche jaune et noire

pour son nouveau caniche nain
qui se nomme Nénuphar.

DES JOUETS À
GG

Pour noël, Madame O.

offre des jouets

à tous les marmots

qu'elle connaît :

des dominos, des yoyos,
des mikados, des robots,

des diabolos, des autos.

Et chaque petit bonhomme

lui donne

un kilo de berlingots.

TOUS POMPIERS !

Le papa de Paul
est pompier.

Le papy de Paul
est pompier.

Le copain du papy de Paul
est pompier.

Paul est encore petit,
mais plus tard, c'est promis,

il sera pompier aussi.

PIN PON PIN

 UAND QUENTIN RÊVE

Chaque nuit,
Quentin rêve de pirates
qui passent à l'attaque,
dans un cliquetis
de jambes de bois
qui claquent
et qui craquent
et qui s'entrechoquent.
Quel rêve loufoque !

Roi des FLEURS et Reine de CŒUR

Un,
deux,
trois,
voici le roi.
Le roi de quoi ?
Le roi des fleurs.

À son bras,
voici la reine
avec sa traîne.
La reine de quoi ?
La reine de cœur.

LES CHAUSSons
DE LA PRINCESSE

Tous les samedis,
        la princesse
danse dans son salon.
          Elle s'étire
comme une tigresse,
        se baisse
et se redresse
          avec souplesse.

Ses petits chaussons
          glissent sans bruit
      sur le sol,
         comme deux souris.

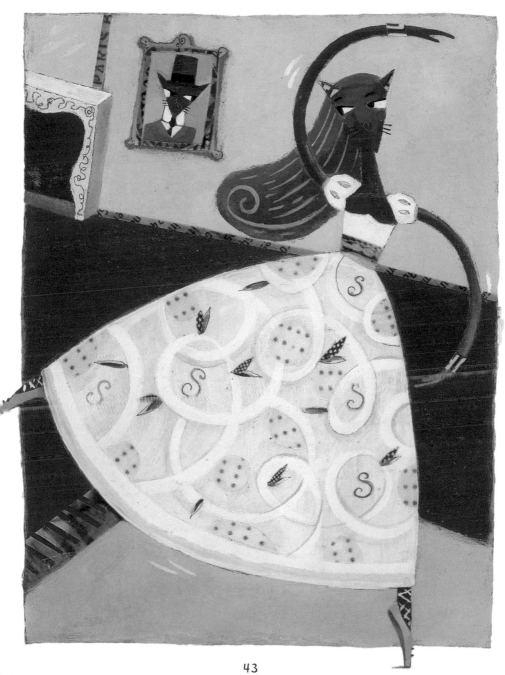

Bon APPÉTIT
À TOUS !

Trois tasses de thé,
trois tartelettes
pour la table sept !

Une portion de pâtes
pour la table quatre !

Des frites bien cuites
pour la table huit !

Et de la pâtée pour le toutou.
C'est tout !
C'est parti, bon appétit !

LA CHUTE D'URSULE

Mademoiselle Ursule
en tutu de tulle,
gesticule
sur son cheval, têtu
comme une mule.
Elle crie : - Hue !
Sa monture recule.
Ursule bascule

et chute.

Zut !

LE VOGUE VOILIER

Qu'est-ce qui vogue

sur les vagues ?

Un vaillant petit voilier

qui s'en va

bravement,
poussé par le vent,

droit devant vers l'océan.

LES **DEUX** CO**W**BOYS

Walter et Willie
    sont deux cowboys
        qui vivent au Far West.

        Chaque week-end,
    ils font du rodéo
comme dans les westerns.

Ils mangent un sandwich
    et boivent un whisky
        au bar du Wapiti.

51

L'IDÉE FIXE DE MONSIEUR X

Un,
  deux,
    trois,
      quatre,
        cinq,
          six,
            Monsieur X.
              a une idée fixe.
                Cinq,
                  six,
                    sept,
                      huit,
                        neuf,
                          dix,
                            partir à Mexico
                              pour jouer du saxo.

VAS-
WILLY !

Eddy fait du yoga,
Jimmy fait du kayak,

Johnny joue au yoyo.
Et que fait Willy ?

Il ferme les yeux,
se dit : « Vas-y ! »
et plonge dans l'eau bleue.

ZIGZAG AU ZOO

Le zèbre Zéphirin,
un peu zinzin,

et le zébu Zorro,
un peu zozo,

galopent en zigzag
dans les allées du zoo.

57

– À bientôt !
bredouille Madame B.

– Chante une comptine
avec moi, dit Monsieur C.

– Au revoir ! dit Monsieur A.

– Écris-moi encore !
demande Monsieur E.

– Drôle de départ !
dit Monsieur D.

– Je suis une fée !
fredonne Madame F.

– Grandis avec nous !
dit Monsieur G.

– Hourra ! Vive les histoires !
hurle Monsieur H.

– Ici, je suis ici !
crie Monsieur I.

– Retrouve-moi à chaque
page, propose Monsieur P.

– Qui sait qui je suis ?
questionne Monsieur Q.

– Je reviendrai te voir !
répète Monsieur R.

– Ne m'oublie pas !
bougonne Madame O.

– Noël approche !
annonce Monsieur N.

– Entre dans le monde
des mots, murmure Monsieur M.

– Joyeuse année !
souhaite Madame J.

– Kadabrakalimagik !
dit Monsieur K.

– Lis-moi dans les livres !
lance Monsieur L.

– Salut ! Suis-moi !
souffle Mademoiselle S.

– On est toutes là pour toi !
dit Monsieur T.

– Bienvenue dans notre univers,
sourit Mademoiselle U.

– Deux V font un W !
disent les cowboys.

– Viens voguer dans les livres,
invite Monsieur V.

– On est vingt-six !
s'exclame Monsieur X.

– Y a plus qu'à lire !
dit Monsieur Y.

– Zut, c'est déjà fini !
zozote Monsieur Z.

TABLE DES COMPTINES